Ville e giardini del Lago di Como

Villas and Gardens by Lake Como

fotografie

Enzo Pifferi

Sommario/*Contents*

Le gemme di un diadema ineffabile

Giuseppe Rasi

(luglio 1933)

Il lago di Como, scrive G. Bagaini nella sua guida, è geloso delle sue bellezze e le rivela quasi con una sapiente arte scenica: per gradi e con un crescendo tale da far passare il visitatore di meraviglia in meraviglia sempre più grande. A Como esso appare come un piccolo bacino, tutto riserrato tra i monti e senza via d'uscita; ma non appena si oltrepassa la punta di Geno, che chiude il golfo, il lago si presenta subito in un primo e maestoso quadro, senza soluzione di continuità. Infatti ecco la prima gemma che si intravede: Cernobbio. E' questo un delizioso angolo del primo bacino del Lario, gentile ricettivo di modernità ed eleganza, in parte specchiantesi nelle azzurre acque del lago ed in parte aggrappato sulle pendici portanti al Bisbino, centro di ogni attrattiva, di tutti gli sport, delle brevi e pittoresche escursioni, di manifestazioni di mondanità e di eleganza, superbo nella sua incantevole Villa d'Este riflettente nello specchio d'acqua rutilante di luci la struttura insuperabile dei suoi mosaici e dei fiori dei suoi giardini, leggendaria di amorose vicende, che offre al turista la grazia della più raffinata e signorile ospitalità…Oltre Cernobbio, sulla sponda occidentale è piacevolissimo compiere un approdo a Moltrasio, un centro pittorescamente sparso, parte sulla riva del Lago, parte in collina. E' una località, questa, ben riparata dai venti e perciò assai preferita per chi voglia compiervi un periodo di cura e di soggiorno. Moltrasio godette le preferenze di Vincenzo Bellini che qui trasse l'ispirazione per due sue immortali opere, la "Straniera" e la "Sonnambula". I villeggianti e i forestieri possono appagarsi anche delle insuperabili bellezze naturali che il suggestivo retroterra può offrire alla loro ammirazione…Più oltre, sulle sponde orientali e in direzione di Bellagio un altro bellissimo paese Torno raccolto su un ardito promontorio che si avanza con gentile spavalderia nel Lago, induce ad una sosta. Il paesaggio anche qui disserra fantasie di colori ed armonie di scenari. A breve distanza, in una suggestiva e solitaria posizione, trovasi la famosa Villa Pliniana, eretta verso il XVI secolo; qui vi furono ospiti illustri personaggi, fra i quali anche Rossini e Foscolo che si dimostrarono ammirati della serena pace e dei doviziosi aspetti naturali che la villa racchiude. A questo punto si entra nella parte centrale del Lago, ove altri incomparabili centri ornano la incantevole successione delle sponde. Siamo, infatti, in uno scenario superbo ove la natura ha profuso i suoi tesori più arcani in una desiosa fantasia cromatica. La confluenza dei due rami del Lago sembra che trascini da remote scaturigini le più inobliabili armonie del bello e della poesia. Il paesaggio, anche se una leggera bruma inazzurra or qui or là, talune zone, o il sole cadente all'acciduo

Jewels in an Incomparable Crown

Giuseppe Rasi

(July 1933)

Lake Como – writes G. Bagaini in his guide – is possessive of her treasures, revealing them almost with expert scenic skill: gradually, reaching such a crescendo that the visitor passes from the first wonder to an even greater one. From Como the viewer's eye is met with a restricted basin, clasped between the mountains and apparently lacking any outbound route. Yet, as soon as one goes beyond Punta di Geno head, which closes the gulf, the Lake is immediately perceived in a magnificent well-defined painting. In fact, the first jewel is glimpsed at this moment: *Cernobbio*. This delightful corner of the lower Como basin, genial and receptive to modernity and panache, is partially reflected in the blue lake waters and partially perched on the slopes leading to mount Bisbino. It is the heart for all attractions, for numerous sports, for day trips and picturesque excursions, and for elegant society events. It is superb for its enchanting Villa d'Este, which reflects the exquisite pattern of its mosaics and its flower-laden gardens in the sparkling mirrored surface of the lake. A villa legendary for its tales of love, offering the tourist the pleasure of the most refined and genteel hospitality...Going beyond Cernobbio, a stop off at *Moltrasio* on the west bank is delightful: this village picturesquely unravels both by the lakeside and into the hills. It is a spot well protected from the winds and is therefore the choice location for visitors planning a period of convalescence or rest. Moltrasio was also chosen by Vincenzo Bellini and it was here that he found inspiration for his immortal operas, *'La Straniera'* and *'La Sonnambula'*. Both the vacationer and the visitor passing through may enjoy the unequaled natural beauty that the inland area unveils for contemplation... Further ahead, on the eastern shores towards Bellagio, lies the stunning *Torno*. Crouching on a steep promontory advancing into the lake with gentle boldness, the village deserves a call. Here too the landscape unleashes rhythms of colour and scenic harmony. The famous Villa Pliniana, erected in the 16th century, is to be found a short distance away, in an atmospheric and solitary position. Several illustrious guests stayed at the Villa, including Rossini and Foscolo, who were seduced as admirers of the tranquil peace and abundant natural aspects offered by the spot. We are now in the central part of the Lake, where other breathtaking villages adorn the charming progression of the shores. Indeed, we find ourselves immersed in splendid scenery, where nature has lavished its most mysterious treasures in a heavenly mélange of colour. The convergence of the two branches of the Lake seems to transport the most rapturous concerts of beauty and poetry from remote sources. The landscape – even if a slight haze colours certain areas blue here and there, or the

infiamma di porpora la sagoma dei monti, è sempre superbamente ineffabile. La pacata serenità diffusa, la dolcezza dei lembi sporgenti e la malìa delle alterne insenature richiamano le visioni più nostalgiche che non potranno mai più dimenticarsi. Oltrepassata la verde Isola Comacina, al di là del breve promontorio si entra in quella incantevole plaga che si chiama Tremezzina la cui fama invidiabile è nota in ogni parte del mondo. Dal paesino di Lenno è un susseguirsi ininterrotto di ville, di giardini e di borghi scendenti al Lago come grappoli luminosi. Presso Bolvedro è la magnifica Villa Quiete ove Parini scrisse parte del suo poema "Il giorno" e che allinea numerose opere d'arte di eccellenti artisti. Nel mezzo di questa fastosa corona di bellezze, Tremezzo specchia le sue cospicue ville e i suoi sontuosi alberghi nelle acque azzurro cupo del Lago. Siamo al cospetto di uno dei più famosi centri di villeggiatura ove migliaia di forestieri vengono a trascorrervi un impareggiabile soggiorno…E' possibile non incidere nella scia dei ricordi la celebre e fastosa visione di Villa Carlotta? Qui l'uomo e la natura si sono alternati nel conchiudere un regno fantastico ove la dovizia di ogni cosa ha un suo prodigioso rilievo. Il vastissimo parco supera le decantate bellezze della riviera ligure: azalee e rododendri fioriscono in maggio mentre esemplari di piante rarissime pongono un fascinoso insieme di indimenticabili armonie. La Villa Carlotta fu eretta nel secolo XVIII dal marchese Clerici di Milano ed ora è di proprietà dello Stato. Contiene innumerevoli opere di grande pregio fra le quali alcune celebri statue del Canova, come Amore e Psiche, la statua di Palamede, la Maddalena pentita e il busto di Venere. Notevoli sono anche il Paride del Pacetti e il Trionfo di Alessandro del Thorwaldsen. Fra i dipinti si annoverano opere di Leonardo, dell'Appiani, dell'Hayez, di Van Dyck, di Gaudenzio Ferrari, ecc. Quasi in continuazione di Tremezzo e oltre Villa Carlotta, trovasi Cadenabbia che distende la sua riva profumata in una amenissima posizione. Longfellow cantò Cadenabbia con vibranti accenti poetici, ed ancor oggi artisti e poeti la esaltano e la rievocano in opere egregie. Nell'incantevole Tremezzina la posizione di Cadenabbia è tra le più splendenti. Di fronte, sullo sfondo rupestre delle Grigne, giace Bellagio soffusa in una gloria di sole e che nella notte fonda splende come un corimbo di stelle. Da Cadenabbia si può andare al paesello di Griante, ove Stendhal scrisse le prime pagine della sua romantica "Chartreuse de Parme". Dopo di che attraversiamo il lago e facciamo sosta a Bellagio, la perla del Lario. Mollemente adagiata sui due rami del lago, Bellagio fu la prediletta dei poeti nostalgici e malati d'amore. Non si capisce questa preferenza, osserva giustamente e con arguzia Giovanni Cenzato quando si chiede perché "tante persone abbiano sospirato d'amore e di passione in mezzo a questo lago che par fatto soltanto per ridere di gioia". E a vederla, difatti, questa cittadina è come entrare in una città irreale e fantastica ove tutte le bellezze sono state radunate per un prodigio della creazione. Ville splendide e storiche svettanti da una verdeggiante vegetazione tropicale, alberghi sontuosi, aiuole fiorite, una spiaggia ridente di belle creature sciamanti, e poi strade bellissime,

setting sun warms the mountain contours in a purple blaze – is always utterly indescribable. The pervasive peaceful calm, the softness of the protruding land and the charm of the alternating coves together conjure up the most nostalgic of visions, which shall never be relinquished. Once past the green isle of Isola Comacina, and beyond the short promontory, one penetrates the delightful world-famous region known as *Tremezzina*. The village of *Lenno* is followed by an endless succession of villas, gardens and hamlets stretching down to the Lake in clusters of twinkling light. The magnificent Villa Quiete housing numerous artworks by outstanding artists is found at *Bolvedro* and it is in this residence that Parini penned part of his poem *'Il giorno'*. *Tremezzo* is right at the heart of this sumptuous garland of beauty, reflecting its handsome villas and luxurious hotels in the deep blue waters of the Lake. We now stand before one of the most renowned holiday resorts, the select destination for thousands of visitors certain their stay will be unique…How can the famous and magnificent vision of Villa Carlotta not remain engraved on the memory? Here Man and nature have alternated their energies in establishing a fantastic realm where the wealth of each element makes its own marvellous contribution. The extensive park exceeds the much-praised beauty of the Ligurian rivieras: azaleas and rhododendrons bloom in May whilst examples of very rare plants create an enthralling ensemble of unforgettable harmonies. Built in the 18th century by the Marquis Clerici of Milan, Villa Carlotta now belongs to the State. It houses countless prominent works of art including several famous statues by Canova, such as

Cupid and Psyche, the *Palamedes* statue, the *Kneeling Magdalen* and the bust of *Venus Italica*. Other noteworthy pieces are *Paris* by Pacetti and the *Triumph of Alexander* by Thorwaldsen. The picture gallery offers works by Leonardo da Vinci, Appiani, Hayez, Van Dyck, Gaudenzio Ferrari, and others. Continuing almost directly from Tremezzo and going beyond Villa Carlotta, one comes to *Cadenabbia*, its fragrant shore outstretched in an enviable spot. Longfellow lauded Cadenabbia with vibrant poetic accentuation, and still today poets and artists evoke and glorify this gem in distinguished works. The position occupied by Cadenabbia in the captivating Tremezzina area is one of the most splendid. Opposite, and against the rugged *Grigne* backdrop, lies Bellagio, warmly glowing in the glorious sunshine during the day and glittering like a star-studded cluster in the deep of night. The hamlet of *Griante* may be reached from Cadenabbia, and this is where Stendhal wrote the opening pages of his romantic 'Charterhouse of Parma'. We then cross the water to call at *Bellagio*, the pearl of Lake Como. Gently snuggled between the two branches of the lake, Bellagio was the favourite of nostalgic and lovesick poets. As Giovanni Cenzato perceptively and accurately observes, it is hard to fully grasp this preference when one ponders on why "so many have murmured of love and passion at the heart of a lake that seems to arouse primarily joy and laughter". And indeed gazing at Bellagio is like becoming immersed in an imaginary fairytale town where all the marvels have been brought together in a miracle of creation. Stunning historical villas towering above luscious tropical vegetation, sumptuous

porticati, viste incantevoli, negozi elegantissimi e tante altre cose tutte predisposte per la letizia del visitatore e di coloro che possono farvi soggiorno… Ma Bellagio vuole anche una visita negli immediati dintorni, lungo le rive dei due opposti laghi che la punta della Colunga divide. Ville e giardini si susseguono fino a Loppia e al sobborgo di San Giovanni. Qui le ville più famose gareggiano in un inimitabile splendore: Villa Trotti, Villa Giulia, Villa Trivulzio detta anche Villa Poldi Pezzoli, ove vi è un ricchissimo giardino di piante esotiche, Villa Melzi d'Eril che si dice sia la più fastosa di tutto il lago per la gran dovizia di opere che vi si trovano. Vi si giunge da Pescallo o da San Giovanni per un magnifico viale in cui si intaglia una scalinata vigilata da due filari di cipressi d'austera nobiltà; questa villa può rivaleggiare con le più illustri d'Italia. Ritornando sulla sponda occidentale che abbiamo abbandonato per compiere un approdo a Bellagio, faremo subito scalo a Menaggio: anche qui siamo nel paradiso delle ville che circondano la cittadina con le vellutate tappezzerie di una ridondante vegetazione. Ecco, infatti, Villa Mylius, Villa Evelyn, Villa degli Olivi, il Casino della Contessa De Rigo, ecc. Centro della folla cosmopolita è però il magnifico Lido che protende la sua limpida spiaggia, in una posizione ideale per i bagni di sole… Da Menaggio si possono compiere bellissime escursioni, fra le quali è sempre meritevole una gita a Loveno, dolce borgo adagiato in una fiorita conca ove sono degni di visita la Villa Vigoni e la Villa Massimo D'Azeglio. A pochi minuti di distanza, si arriva a Grandola ove il pittoresco scenario si distende dalle

zone immediate a quelle montuose che fanno da sfondo con le creste incappucciate di neve. Qui si apre un magnifico ed ampio Campo di Golf, la cui imponente organizzazione lo classifica tra i più rinomati e frequentati d'Europa. Il nostro itinerario prosegue quindi per Varenna. Questa cittadina è situata in posizione privilegiata, amena e pittoresca, del centro del Lario ed allo sbocco di un'allegra e fertile valletta, circondata da due parti da alti muraglioni rocciosi. Essa è prescelta come località di villeggiatura dal giugno all'ottobre da eletta clientela nazionale, ma è frequentata anche in altri mesi dell'anno da forestieri. Posta ad un'altitudine di 220 metri sul livello del mare, raggiunge i 600-800 metri nella zona montana delle sue numerose frazioni che in maggioranza appartengono al così detto territorio del Monte di Varenna che si estende in gran parte lungo la Valle dell'Esino dove il fertile terreno è coltivato a campi, a vigneti e a oliveti…Ed eccoci ad un'altra stazione del bacino dell'alto Lario: Bellano. Ridente nei suoi colli, incantevole nelle ubertose sponde del suo lago, Bellano si presenta al turista in una delle più suggestive visioni. Dal colle ove è situato il Santuario di Lezzeno, da Bonzeno, Biosio e da ogni punto delle frazioni si offre al visitatore il vasto panorama di tutti i pittoreschi paesi del centro e alto lago, con in più il magnifico sfondo a nord, costituito dalle alte vette che prendono nome dal sistema dello Spluga. Ai piedi di Bellano, le acque del Lario sono alle volte tempestose per il "menaggino", ma quasi sempre esse sono quiete e azzurre. Il paesaggio incantevole su cui Bellano domina, lo

hotels, flower-borders in bloom, a charming beach teeming with adorable creatures, gorgeous streets and lanes, porticoes, bewitching views, chic boutiques… all this and more is set to delight the visitor and all those planning a stay here. However, the area surrounding Bellagio – the shores of the two lakes opposite, divided by Punta della Colunga head – also deserves exploration. A succession of villas and gardens unravels as far as Loppia and the hamlet of San Giovanni. Here the most famous villas compete in their unique splendour: Villa Trotti, Villa Giulia, Villa Trivulzio (also known as Villa Poldi Pezzoli, and offering a lavish garden of exotic plants) and Villa Melzi d'Eril – which is reputed as the most magnificent of the whole lake due to the wealth of artworks it houses. The spot may be reached either from Pescallo or San Giovanni by way of a grand avenue completed by a staircase guarded by two rows of cypresses of austere nobility; this villa fears few rivals in the entire Italian peninsula. Returning to the western shore that we left for Bellagio, we immediately make a stop at *Menaggio*: here too we are in a paradise of villas surrounding the village with a velvety tapestry of lush vegetation. And in fact we find Villa Mylius, Villa Evelyn, Villa degli Olivi, Contessa De Rigo's Lodge, and more. Nevertheless, bosom of the cosmopolitan throng is the splendid Lido stretching out its idyllic beach in the perfect position for basking in the sun… Enjoyable excursions may be organised from Menaggio, such as the always worthwhile trip out to *Loveno*, that sweet hamlet nestled in a hollow of blooms where Villa Vigoni and Villa Massimo D'Azeglio offer a memorable visit. Just a few minutes away lies *Grandola*. The

picturesque scenery extends from the foreground to the mountainous backdrop with its snow-capped peaks. The area is home to a spacious and renowned golf course, which ranks as one of the best and most frequented in Europe. Our route then proceeds towards *Varenna*. This lovely village occupies a prominent, pleasant and picturesque position in the centre of the Como area, at the mouth of a cheerful fertile valley embraced on two sides by steep rocky walls. This is a preferred holiday resort with the Italian élite from June to October, but also with foreign visitors during the other months. Standing 220 metres above sea level, many of its hamlets reach an altitude of 600-800 metres in the mountainous area. These hamlets are grouped under the name of the Monte di Varenna territory, which stretches out along the Esino Valley where the fertile land is used for farming, vineyards and olive groves… And so we come to another resort in the upper Lake Como region: *Bellano*. Charming in its hills and captivating in its lush banks by the lakeside, Bellano meets the tourist with one of the most spellbinding visions. Looking out from the hill topped by the Sanctuary of Lezzeno, from Bonzeno, Biosio or from any point in these hamlets, the visitor discovers a vast panorama embracing all the picturesque villages present in the central and upper part of the Lake, with the most magnificent backdrop to the north in the form of the soaring peaks belonging to the Spluga Valley. Beneath Bellano, the waters are occasionally rough due to the *'Menaggino'* wind. However, this occurrence is rare and they are generally calm and azure. The enchanting scenery that Bellano towers above, the exquisite warmth of hospitality distinguishing

squisito senso di ospitalità che distingue i suoi cittadini, la cornice di poesia da cui è avvolta, fanno sì che moltissimi siano i gitanti e i turisti, i quali scelgono la graziosa cittadina lariana come meta preferita di svago domenicale. Motivo di istruzione e di diletto sono poi le numerose attrattive che questo pittoresco centro presenta, tra cui primeggia il famoso "orrido" incassato in un antro dantesco, dalle paurose e spumeggianti gettate d'acqua del Pioverna e dalle meravigliose, ridenti cascate…Altre interessanti mete del bacino settentrionale del lago sono Dongo e Gravedona che con Sorico costituiscono l'antico territorio delle Tre Pievi. Dongo sorge in amena posizione, mentre Gravedona è la borgata più importante dell'alto Lago, interessante sia per le antichità sia per i bellissimi monumenti d'arte che annovera in varie frequentatissime sedi. Superata l'ultima estremità del lago, eccoci a Colico, che dalle falde del Legnone scende con dolce pendio fino a lambire le acque del lago. Tutt'intorno è un'incomparabile corona di monti coperta da folta vegetazione boscosa…Nei pressi di questo incantevole centro su di una stretta penisola, sorge l'Abbazia medioevale di Piona. Fondata dai monaci cluniacensi nel periodo aureo dell'Ordine benedettino,

intorno all'XI secolo, essa fiorì quasi contemporaneamente alle Abbazie consorelle di Casamari presso Frosinone e di Chiaravalle presso Milano, e tenne per tre secoli la dignità di Priorato. Fu dunque una delle principali rocche dei bianchi seguaci di San Benedetto da Norcia, di quel ramo dell'Ordine che, per essersi trasferito dapprima a Cluny, e poi a Citeaux (Cistercio), fu detto dei Cistercensi. Ecco l'ampia e solida chiesa costruita in bigia pietra moltrasina, in quello stile romanico primitivo schiettamente lombardo che onora la famosa Scuola dei Maestri Comacini. Ecco qui il Convento adornato dal superbo chiostro dugentesco: armoniosa fuga di archi e di colonne di squisita fattura, dai capitelli variamente istoriati. Di esso, notissimo agli studiosi di ogni tempo, in Italia e all'estero, ci è ignoto il nome dell'artefice, e persino l'epoca dell'erezione: ma questa scarsità delle prime notizie storiche aumenta il suo valore, notevolissimo per la storia dell'arte italiana. Infatti vi si scorgono nettamente le prime manifestazioni della pratica ogivale che, introdotta in Italia appunto dai Benedettini Cistercensi ed innestata sullo stile romanico, generava quel celeberrimo gotico lombardo, di cui è massimo monumento il Duomo di Milano.

its inhabitants and the poetry pervading the whole in fact entice many tourists and day-trippers, who choose this amiable village as their favourite destination for a pleasant Sunday afternoon out. Cause for study and delight are the numerous attractions offered by this picturesque settlement. The most famous of these is the *'Orrido'* encased within a Dante-like cavern, spouting foaming and fearful jets of waters from the Pioverna river and from its wonderful waterfalls...Other fascinating destinations in the upper part of the lake are *Dongo* and *Gravedona*, and these, along with *Sorico*, form the historical territory of the Tre Pievi – 'the three parishes'. Dongo occupies a pleasant position. Gravedona, the most important village in the northern part of Lake Como, is interesting both for its ancient origins and for its beautiful art monuments, which include many much visited sites. Once past the uppermost extremity of the lake, we find ourselves at *Colico*, which gently stretches down from beneath the Legnone mountain to caress the shores of the lake. The surrounding landscape is an indescribable garland of mountains cloaked in dense forest... The medieval Abbey of *Piona* stands in this captivating area, perched on a narrow peninsula. Founded by Cluniac monks in the golden era of the Benedictine Order, in about

the 11th century, it blossomed contemporarily to its related Abbeys of Casamari (in Frosinone) and of Chiaravalle (in Milan), holding the title of Priorate for over three hundred years. It was therefore one of the main strongholds for the White Monks of St. Benedict of Norcia, this being the branch of the Order known as the Cistercians, as they first moved to Cluny and then to Citeaux (Cistercium in Latin). So we see the large solid church in grey stone brought from Moltrasio, built using the purely Lombard early Romanesque style honouring the famous school of the Masters of Como. And here we find the Convent enriched with its superb 13th century cloisters: a harmonious series of exquisitely fashioned columns and arches, the capitals decorated with a variety of figures. Although scholars of all periods, in Italy and abroad alike, are very familiar with this construction, both the name of its creator and even the year it was erected remain unknown. Nonetheless, this scarcity of historical records can only magnify its worth, which is great in the history of Italian art. In fact, the onlooker may clearly make out the first signs of the Gothic approach. Introduced to Italy by the Cistercian Benedictine monks, this style was grafted onto the Romanesque, resulting in the universally renowned Lombard Gothic, which is visible at its peak in Milan Cathedral.

Villa Geno, Como

Protesa verso il lago,
sulla punta che divide il
primo secondo
bacino, villa Geno venne
costruita verso la metà
dell'Ottocento
dall'architetto Giacomo
Tazzini. L'edificio sorse in
linee tardo neoclassiche
per volere della famiglia
Cornaggia-Medici.

Outstretched towards the
lake, on the promontory
between the first and the
second basin, Villa Geno
was built around mid-
Ottocento by Giacomo
Tazzini It was designed
in late neo-classic style
on behalf of the family
Cornaggia-Medici.

Villa La Gallietta di Sant'Agostino, Como

La villa venne fatta erigere da Marco Gallio tra il 1625 e il 1630 nel sobborgo di Coloniola. Sorse come residenza invernale, in zona soleggiata e riparata. L'edificio conserva nel giardino una fontana seicentesca.

It was built by Marco Gallio to be his winter residence, between 1625 and 1630 in Coloniola. In its garden there is a fountain of the seventeenth century.

Villa Carminati Scacchi, Como

Già Resta-Pallavicino, Carminati.
La villa, attribuita a Felice Soave, risale alla fine del Settecento; notevole la sala ellittica di linee neoclassiche. Stucchi ne decorano volte e pareti.

It was built at the end of the eighteenth century. Really remarkabkle is the elliptical room which was designed in neo-classic style. Walls and vaults are stucco-worked.

Villa Saporiti, Como

Attribuita a Leopold Pollack o, secondo una testimonianza di metà Ottocento, a Simone Cantoni (eccetto la scala, che sarebbe di Luigi Cagnola), di certo villa Saporiti venne realizzata per la marchesa Eleonora Villani, milanese, tra il 1791 e il 1793 da un architetto di primo piano del neoclassicismo lombardo. Nonostante alcune aggiunte posteriori, la costruzione conserva sia nella struttura sia nella maggior parte degli ambienti l'aspetto originario. L'attuale nome si deve al marchese Marcello Rocca Saporiti, uno dei successivi proprietari.

Surely it was designed by a first-rate architect in neo-classic style for marchesa Eleonora Villani, but sometimes Villa Saporiti is attributed to either Leopold Pollack or Simone Cantoni (save the stairway designed by Luigi Cagnola). Although there have been later works, the building keeps the original look in both its structure and its rooms. Its name is due to marchese Marcello Rocca Saporiti.

Villa Gallia, Como

Fu costruita come villa estiva nel 1615
dall'abate Marco Gallio, nipote del
cardinale Tolomeo, su un'area
storicamente importante per i comaschi.
Su quel luogo sorgeva infatti il Museo
Gioviano, la villa - di cui nulla oggi rimane
- eretta dal vescovo Paolo Giovio nella
prima metà del XVI secolo per ospitare la
sua collezione di ritratti di uomini illustri.

Built in 1615 to be a summer residence by
abbot Marco Gallio, cardinal Tolomeo's
nephew, on an historically important area.
Once, on that area, stood the Museum
Gioviano, built by bishop Paolo Giovio
during the first half of the seventeenth
century, which contained his collection
of portraits.

Villa Parravicini Sossnovsky, Como

Costruita negli ultimi anni del XVIII secolo,
la villa ha corpo centrale sovrastato da
largo timpano e conserva negli eleganti
interni l'apparato decorativo primitivo.

It was built towards the end of the
eighteenth century. Its central body is
dominated by a large tympanum.
In the elegant interior there still are
the original motifs.

Villa Mondolfo Volonté, Como

La villa, di impianto neoclassico, presenta una singolare struttura, con due corpi culminanti in frontoni ornati da bassorilievi e statue, collegati da un porticato a vetri sovrastato da una balaustrata. Realizzato alla fine del XVIII secolo per la famiglia Fontana, l'edificio passò in seguito ai Mondolfo, ai Casati Brioschi, ai Volontè.

Villa Volonte' was designed in neo-classic style and shows a distinctive structure: two bodies ending in pediments decorated with low-reliefs and statues, joined together by a glass arcade overhanged by a balustrade. It was built at the end of the eighteenth century for the family Fontana. Afterwards it passed to the Mondolfos, then to the Casati Brioschis and to the Volontès.

Villa Gallietta di Borgovico, Como

Edificata nel 1772 da Pietro Antonio Fossano come residenza invernale della villa Gallia, fu ristrutturata nel 1830 su progetto di Melchiorre Nosetti e conserva le decorazioni neoclassiche delle sale interne.

Built in 1772 by Pietro Antonio Fossano as a winter residence to Villa Gallia, it was renovated in 1830 following Melchiorre Nosetti's project; the Neo-Classical decoration may still be observed in the rooms.

Villa Pisa Colli Canepa

Fu edificata nel 1840 dall'architetto Giacomo Tazzini, per conto del barone Colli, in stile neoclassico. La villa è caratterizzata da quattro imponenti colonne sulla facciata verso il lago e da una torretta con cariatidi.

The villa was built in the neo-classical style in 1840 by Giacomo Tazzini, upon request by Baron Colli. It features four striking columns on the lakeside façade and a tower with caryatids.

Villa Salazar, Como

È un elegante edificio risalente al tardo Settecento, solitamente attribuito all'architetto Felice Soave. Proprietà dei conti Della Porta, la villa passò ai Salazar, illustre casato castigliano, per il matrimonio di Giovanni Salazar con Marianna Della Porta.

It is an elegant building which dates back to the late Settecento, usually attributed to architect Felice Soave. It belonged to the counts Della Porta. In 1787, when Giovanni Salazar married Marianna Della Porta, it became the property of the Salazar family.

Villa Olmo, Como

La villa fu fatta edificare da Innocenzo Odescalchi su una proprietà già dal XVII secolo denominata "dell'olmo" per un albero secolare, oggi non più esistente. I lavori iniziarono nel 1782 e vennero ultimati nel 1797. Commissionato inizialmente a Innocenzo Regazzoni, il progetto fu poi affidato a Simone Cantoni, uno dei più noti architetti lombardi dell'età neoclassica. Nell'interno spicca l'ampio atrio sviluppato in altezza per tre piani e il vasto salone del pianterreno, con balconata; sontuose anche le altre sale, fra cui il salone degli Specchi, delle Nozze, di Diana, della Musica.

Built on behalf of Innocenzo Odescalchi, on an area already known as "Dell'Olmo", a centuries-old elm, no more existing today. At the beginning it was Innocenzo Regazzoni who directed the works but later on, the project was given to Simone Cantoni, one of the most famous lombard architects. In 1821, after Odescalchi's death Villa Olmo passed to Giorgio Raimondi, who set out the yard and built the dockyard.

Villa Grumello Celesia, Como

La villa sorse nel Cinquecento su una preesistente costruzione, per volere di Tommaso d'Adda. Fra i molti proprietari, il cardinale Benedetto Odescalchi, pontefice nel 1676, che sembra abbia fatto riedificare la villa su precedenti disegni del Pellegrini, e il conte Giambattista Giovio nel 1775.

Villa Celesia was built in the sixteenth century on behalf of Tommaso D'Adda. Among the many owners we find cardinal Benedetto Odescalchi, who was Pope in 1676, and count Giambattista Giovio.

Villa Sucota, Como

Sorge su un luogo già menzionato da Paolo Giovio nel Cinquecento, anche se l'attuale villa è neoclassica. Fu dei conti Volpi all'inizio del Seicento, del dottor Metternich, medico di Napoleone, e dell'abate Configliachi, allievo del Volta. Passò poi ai triestini Brambilla che la ampliarono, e ai Parodi Delfino. A fianco sorge la Sucotina, un edificio minore dei primi decenni dell'Ottocento.

The present villa was designed in neo-classic style. At the beginning of the seventeenth century it belonged to the counts Volpi, then to Metternich, Napoleon's doctor, and to abbot Configliacchi, one of Volta's student. Afterwards it was the property of the family Brambilla from Trieste, who enlarged it and of the Parodi-Delfinos. Beside there is the "Sucotina" a minor building which dates back to the early Ottocento.

Villa Sforni, Tavernola

Già presente nella seconda metà del '700, come testimonia il Catasto Teresiano, con pianta ridotta rispetto alla attuale configurazione. Nel 1818 viene venduta dal marchese Giulio Lucini al conte Cesare Prata per poi passare a Maximilian Gugenkein. La villa passa poi agli Sforni e successivamente alla famiglia Terni che la frazionano in appartamenti.

Already standing in the mid 18th century, as shown by the Teresiano land registry records, the plan was however less extensive than that of today. It was sold in 1818 by Marquis Giulio Lucini to Count Cesare, and then became the property of Maximilian Gugenkein. The Villa then passed into Sforni hands and later to the Terni family, who divided it up into apartments.

Villa Sucotina, Como

Un edificio minore dei primi decenni dell'Ottocento che sorge a fianco della villa Sucota.

Beside villa Sucota there is a minor building which dates back to the early Ottocento .

La villa venne progettata a metà Ottocento dall'architetto Clericetti per volere di Bianca Bignami Cabrini, patriota del Risorgimento. L'edifico, dal particolare colore rosa, divenne in seguito proprietà della famiglia dell'onorevole Ugo Dozzio.

This villa was designed by architect Clericetti, in the middle of the nineteenth century, on behalf of Bianca Bignami Cabrini, Afterwards the pink painted building became the property of honourable Ugo Dozzio's family.

Villa Cantaluppi, Tavernola

È un edificio neoclassico realizzato a metà Ottocento dal veronese Pietro Gonzales. I suoi eredi lo vendettero al pascià di Costantinopoli che lo abitò con il suo harem e il suo seguito per alcuni anni. Passò poi ai Levj, a Ferdinando Bocconi e ai Cantaluppi. Oggi è condominio.

A neo-classic villa, built in mid-Ottocento by Pietro Gonzales. His heirs sold it to the pasha of Costantinople who lived there with his harem and his retinue. It was the property of the Levjs, then of Ferdinando Bocconi and then it belonged to the Cantaluppis. Today it is a block of flats.

Villa Bernasconi, Cernobbio

Alfredo Campanini è l'architetto di questa villa liberty costruita nel 1905 per Davide Bernasconi, proprietario dell'omonima tessitura. L'edificio si distingue per la ricchezza degli elementi decorativi ottenuti dall'impiego e dall'accostamento di materiali diversi, quali intonaco, fasce in mattoni, fregi in ceramica policroma, ferri battuti, cemento martellinato.

This villa was designed in liberty style by the architect Alfredo Campanini on behalf of Davide Bernasconi, the homonymous weaving factory's owner. The building stands out because of the wealth of its decorative motifs due to the use of different materials such as plaster bricks, polychrome baked clay, wrought-iron and push-hammered concrete.

49

Villa Erba, Cernobbio

Affacciata sul lago, circondata da un vasto parco pianeggiante, la villa venne fatta costruire alla fine dell'Ottocento da Luigi Erba. La proprietà passò alla figlia Carla, moglie del conte Giuseppe Visconti di Modrone, e da questi ai figli, tra cui il regista Luchino Visconti. All'interno del parco è sorto il Centro Internazionale Esposizione e Congressi, la cui struttura è stata ispirata dalle serre settecentesche delle grandi ville del lago.

Villa Erba, which faces the lake, was built at the end of the nineteenth century by Luigi Erba. The property passed to his daughter Carla, count Giuseppe Visconti's wife, and then to their sons, among whom the film director Luchino Visconti. Inside the park there is the international exhibition and meeting hall, whose structure drew inspiration from the eighteenth century green-houses.

Villa Nuova Gastel Visconti, Cernobbio

Nella villa si trasferirono Domenico Pino e la moglie Vittoria, dopo aver ceduto nel 1815 villa d'Este alla principessa Carolina di Brunswich. I Pino adattarono a residenza signorile un antico convento, di cui la villa ha conservato la struttura.

This is the place where, in 1815, Domenico Pino and his wife Victoria moved to, when they sold Villa D'Este to princess Caroline von Braunswich. At first Villa Nuova was a convent as its structure reveals.

Villa Belinzaghi, Cernobbio

Accanto a Villa d'Este si trova il vasto parco di villa Belinzaghi, ottocentesco palazzo a lago, eretto per il banchiere milanese Giulio Belinzaghi, su progetto dell'ingegner Giacomo Bussi.

Close to Villa D'Este there is the vast park of Villa Belinzaghi. This villa was designed in the nineteenth century by the engineer Giacomo Bussi, for the milanese banker Giulio Belinzaghi.

Villa d'Este, Cernobbio

Rinomato albergo dalla prestigiosa storia, la villa venne fatta costruire nella seconda metà del XVI secolo dal cardinale Tolomeo Gallio. Dopo diversi proprietari, la villa passò a Carolina di Brunswich, moglie dell'erede al trono d'Inghilterra, il futuro Giorgio IV. Per la sua discendenza dalla dinastia estense, la principessa chiamò la sua proprietà villa d'Este, la abbellì e arricchì, animandola con feste e ricevimenti. Nel 1873 la villa, rimaneggiata, fu trasformata nell'attuale Grand Hotel, conosciuto per l'eleganza della struttura, degli arredi e per il magnifico parco.

Beautiful and well-known grand hotel. The villa was built in the second half of the sixteenth century on behalf of cardinal Tolomeo Gallio. In 1815 countess Pino sold Villa D'Este to Caroline von Braunswich, wife of England's heir, George IV. She named the property Villa D'Este, embellished it and organized there a lot of parties. In 1873 Villa D'Este was turned into the present grand hotel, worldly known for its elegance, its furnishings and its marvellous park.

Villa Pizzo, Cernobbio

Sorge sul promontorio che delimita il golfo di Cernobbio su un vasto terreno un tempo ricco di vigneti e uliveti, acquistato nel 1435 da Giovanni Mugiasca, mercante di Como, che vi costruì una casa di campagna. Diversi miglioramenti vennero apportati al complesso dai successivi proprietari, la famiglia Volpi Bassani, che nel vasto e ricco parco ha fatto innalzare il proprio mausoleo, disegnato da Luca Beltrami.

It is situated on the promontory delimiting the gulf of Cernobbio, on a land once full of vineyards and olive trees purchased in 1435 by Giovanni Mugiasca who built there a country house. In 1865 it was sold to madame Elise Musard who transformed it after the taste of that age. Afterwards the new owners, the family Volpi-Bassani, had their mausoleum built in the park.

Villa Passalacqua, Moltrasio

Il grande palazzo settecentesco fu ideato da Felice Soave per il conte Andrea Passalacqua che ampliò un primo nucleo dell'edificio costruito dagli Odescalchi. La villa a tre piani, con porte in bronzo riccamente lavorate, è ornata da un vasto parco posto su terrazze digradanti verso il lago.

The large eighteenth century building was designed by Felice Soave for count Andrea Passalacqua who enlarged the part which had been built by the family Odescalchi. The three storey villa with its finelly worked bronze doors is surrounded by a vast park with terraces sloping down to the lake.

Villa Fasola, Moltrasio

Edificata alla fine dell'800 su progetto di Guido Sartirana, sorge in posizione elevata ed il suo giardino scende fino al lago dove nel 1904 fu costruita la darsena.

Erected in the late 1800s to a project by Guido Sartirana, it stands on high ground with its gardens descending to the lakeside, where the quay was built in 1904.

Villa Erker Hocevar, Moltrasio

Cinta da un bel parco, la villa - un tempo Salterio - è conosciuta soprattutto per il soggiorno di Vincenzo Bellini, ospite di Giuditta Turina Cantù che aveva affittato l'abitazione.

This villa, surrounded by a beautiful garden is particularly known because of Vincenzo Bellini who was one of Giuditta Turina Cantu's guest.

Villa Fontanelle, Moltrasio

Palazzo settecentesco, la villa è stata residenza dello stilista Gianni Versace, alla cui famiglia ancora appartiene, ed è quindi conosciuta oggi col suo nome.

An eighteenth century palace where Gianni Versace used to live. It is still the property of the family Versace; in fact it is known as "Villa Versace".

Villa Castello di Urio, Carate Urio

La villa sorse nel Seicento, forse sui resti di un'antica fortificazione. Le belle terrazze del parco, con gradinate, balaustre e statue, la distinguono dalle altre dimore signorili del Lario. Dopo un periodo di decadenza, i milanesi Richard, alla fine dell'Ottocento, sistemarono e ampliarono il giardino, mentre ulteriori restauri furono compiuti dalla signora Mac Grary e dal barone Langheim.

Villa Castello was built in the seventeenth century. The beautiful terraces facing the lake with their staircases, banisters and statues make it different from the other high-class abodes. The milanese family Richard put in order and enlarged the park while Mrs Mac Gray and baron Langheim made other restorations.

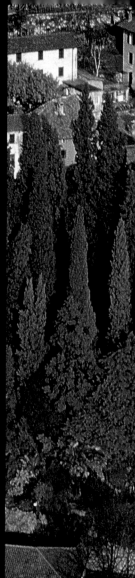

Villa Oleandra, Laglio

È divenuta famosa perché residenza dell'attore americano George Clooney.

The property has become famous as it belongs to the American actor George Clooney.

Villa Beccaria, Sala Comacina

Famosa per i celebri personaggi della cultura che la possedettero o vi furono ospitati, la villa sorge sul promontorio della Puncia, proteso verso il lago. La costruzione risale al Settecento, ma venne ripresa nell'Ottocento. Appartenne alla famiglia di Cesare Beccaria (autore nel 1764 del noto volume Dei delitti e delle pene), che spesso vi soggiornò.

It stands on the promontory known as Puncia and it is famous because of the many scholars who lived there, either as owners or as guests. The building dates back to the Settecento but it was modified, in the Ottocento. It belonged to the family of Cesare Beccaria who, in 1764 wrote the well-known book "Dei delitti e delle pene".

Villa Della Torre, Ossuccio

Un balcone a sbalzo sul lago e due scalinate laterali, conducono a questo grande edificio che richiama le grandi ville dell'età barocca. Al centro della facciata si apre la loggia a tre fornici su colonne doriche.

A balcony overhanging the lake and two side staircases lead up to this great residence that brings to mind grand villas from the Baroque period. The three-arched loggia with Doric columns opens up in the façade centre.

Villa Il Balbiano, Ossuccio

La villa venne ricostruita alla fine del Cinquecento dal cardinale Tolomeo Gallio su disegni del Pellegrini predisposti per i Giovio, a cui apparteneva precedentemente la proprietà. E ai Giovio, al conte Giambattista, la villa ritornò nel 1778, per passare pochi anni dopo al cardinale Angelo Maria Durini, che la restaurò e arricchì il giardino di statue, fontane, nuovi viali e pergolati. Appartiene oggi alla famiglia Canepa.

It was rebuilt at the end of Cinquecento by cardinal Tolomeo Gallio on Pellegrini's plans. In 1778 the villa passed to count Giambattista and after a few years to cardinal Angelo Maria Durini who restored it, built statues, waterworks and paths in the garden. It belongs now to the family Canepa.

Villa La Cassinella, Lenno

Raggiungibile solo via acqua, la villa color mattone fu costruita nel 1926 da Carlo Mantegazza.

Reachable only by water it was built by Carlo Mantegazza in 1926.

Villa del Balbianello, Lenno

Gli edifici e il giardino sorgono a picco sul lago, sulla punta del dosso di Lavedo, in stupenda posizione panoramica. Sull'area si trovava un piccolo convento francescano, che il cardinale Angelo Maria Durini acquistò verso la fine del Settecento e trasformò in elegante residenza, meta di incontri tra gli intellettuali dell'epoca. Sopra la villa, al centro della punta, il cardinale innalzò una loggia da cui si gode l'incomparabile vista, da una parte, della Tremezzina, dall'altra del bacino verso l'isola Comacina, ribattezzati dal Durini rispettivamente golfo di Venere e golfo di Diana. Affiancano il loggiato la biblioteca e il salone della musica. Posseduta dal 1919 dagli americani Ames, la villa venne acquistata nel 1974 dal conte Guido Monzino, che nel 1988 ha lasciato il Balbianello in eredità al FAI, Fondo per l'Ambiente Italiano. La villa è oggi visitabile dal lago, con imbarco da Sala Comacina.

Both the building and the park are sheer above the lake. On that area there was a small Franciscan monastery which cardinal Angelo Maria Durini, at the end of the eighteenth century purchased and turned into an elegant residence where the scholars used to meet. In the centre of the peninsula there is a loggia from which it is possible to look at both the "tremezzina" and the "isola comacina", respectively called Venus and Diana gulf. Around the loggia there are the library and the music-hall.. Later it belonged to the american family Ames but in 1974 it was purchased by count Guido Monzino who, in 1988, bequeathed it to the FAI (Italian Ambient Fund).

Villa i Platani, Tremezzo

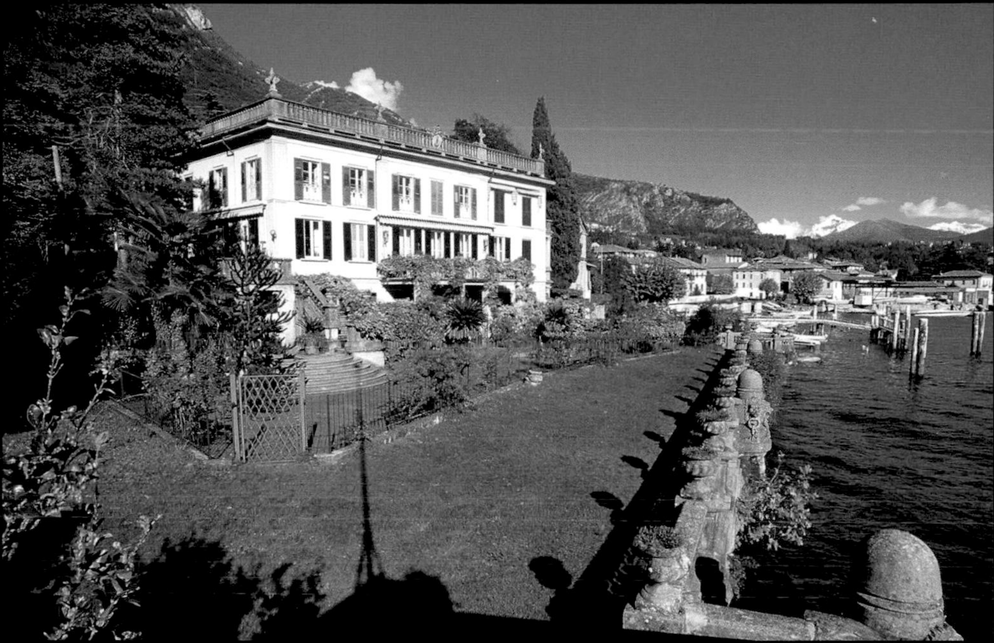

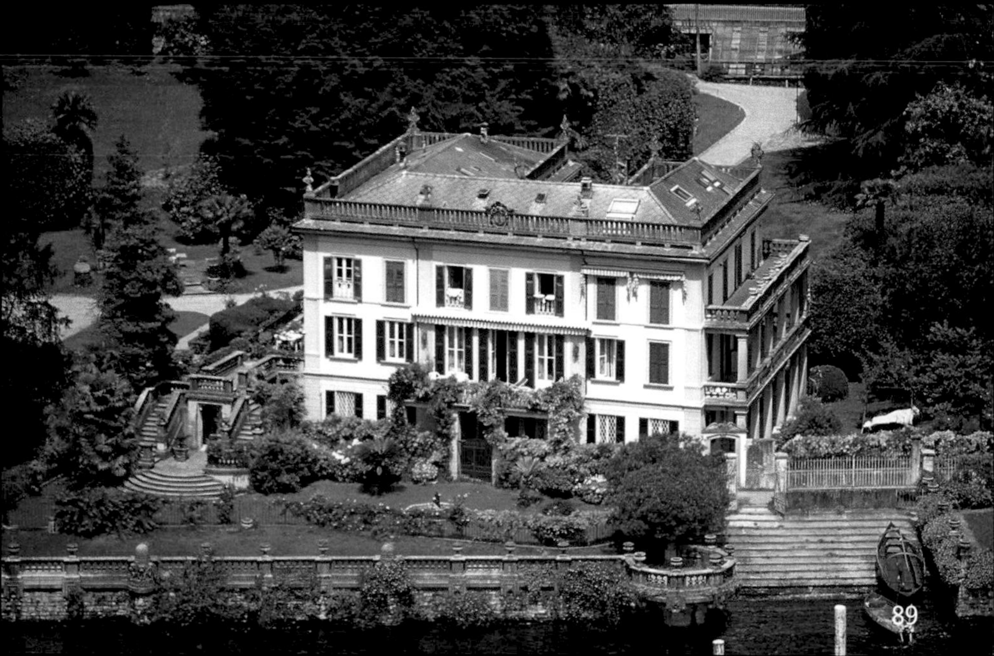

Villa La Quiete, Tremezzo

L'imponente villa venne costruita all'inizio del XVIII secolo dai duchi Del Carretto. Passata alla famiglia Brentano, divenne proprietà dei Serbelloni e successivamente dei Sola Cabiati. Detta anche Gioconda, la villa ha un corpo centrale a tre piani affiancato da due ali più basse; notevoli i sontuosi interni, l'elegante cancellata in ferro battuto, il giardino all'italiana, l'imbarcadero.

This imposing villa was built in the eighteenth century by the dukes Del Carretto. Afterwards it passed to the family Brentano then to the Serbellonis. Before long the villa passed to the Sola-Cabiatis. This villa, also called "Gioconda" is composed of a central body and two wings. There are beautiful interiors, a wrought-iron gate, an italian garden and the magnificent landing-stage.

Villa Carlia Albertoni, Tremezzo

Si trova a fianco di villa La Quiete, sulla cima di un pendio, collegato alla strada da una lunga scalea che ne costituisce l'elemento caratterizzante. Appartenuta ai conti Albertoni, la costruzione venne realizzata nella seconda metà del Settecento, su progetto di Antonio de Carli.

It is situated near Villa La Quiete, on top of a slope connected to the road by a long staircase which characterizes the villa. Built during the second half of the eighteenth century, it was the property of the counts Albertoni.

Giardini di Villa Mayer, Tremezzo

Villa Carlotta, Tremezzo

La villa è una delle più famose del Lario, conosciuta per la struttura architettonica, le opere d'arte esposte e l'immenso parco, ricco di piante esotiche e tropicali e di fiori di ogni colore, fra cui spicca in primavera la fioritura delle azalee e dei rododendri. L'edificio fu costruito intorno al 1690 dal marchese Giorgio Clerici. La residenza venne ceduta nel 1843 alla principessa Marianna di Nassau, moglie del principe Alberto di P...a, che la donò alla figlia Carlotta in occasione delle nozze con il granduca Giorgio di Sassonia Meiningen. Divenuta proprietà dello Stato, villa Carlotta è oggi gestita da un ente autonomo. Fra le importanti opere d'arte conservate, il grande fregio di Berthel Thorwaldsen con l'Ingresso di Alessandro Magno a Babilonia, scolpito dal 1817 al 1828; l'ultimo bacio di Giulietta e Romeo di Francesco Hayez; statue del Canova e alcune copie di sue sculture, fra cui Amore e Psiche, l'opera più celebre della villa, terminata da Adamo Tadolini nel 1824.

One of the most famous villas around the lake, it is well known because of its structure, its works of art and its vast park full of tropical exotic trees and coloured flowers. In spring the blossom of azaleas and rhododendros is really beautiful. The building was erected around 1690 by marchese Giorgio Clerici. In 1843 Villa Carlotta was sold to princess Marianna of Nassau, prince Albert of Prussia's wife who presented her daughter Carlotta with it, on occasion of her wedding with the grand duke George of Saxon-Meiningen. Nowadays Villa Carlotta belongs to the State and it is run by an independent body. Among the important work of arts we find the "Ingresso di Alessandro Magno a Babilonia" by Berthel Thorwaldsen, sculptured between 1817 and 1828. "L'ultimo bacio di Giulietta e Romeo" by Francesco Hayez; a few statues by Canova and a few copies of his works, like "Amore e Psiche", the most famous work in the Villa, ended by Adamo Tadolini in 1824.

MARTE E VENERE

Villa Collina, Griante

Negli anni Cinquanta il cancelliere della Repubblica Federale Tedesca Konrad Adenauer trascorse diversi periodi di villeggiatura in questa villa. Circondata da un ampio parco terrazzato. Oggi è sede della Fondazione Adenauer che vi organizza congressi internazionali.

In the fifties the german chancellor Konrad Adenauer used to spend his holidays here. It is surrounded by a vast terraced garden. Today it is the seat of the Adenauer Foundation which organizes there internationan meetings.

Villa Margherita, Griante

La villa è nota soprattutto per aver accolto Giuseppe Verdi, ospite degli editori milanesi Ricordi, che costruirono l'abitazione a metà Ottocento.

This villa is well-known because Giuseppe Verdi was living there as the guest of the milanese publishers Ricordi who built the edifice in mid Ottocento.

ideatore, insieme al figlio Carlo, di numerose ville della zona. Cinta da un grande parco con una serra in ferro e vetro, la villa venne commissionata dall'americano Martin Clerc e portata a termine da un'erede.

It was built towards the end of the nineteenth century by Giacomo Mantegazza who, together with his son Carlo, was the conceiver of many villas around the lake. Villa Maria had been ordered by the american Martin Clerc and ended by a heir of his. Villa Maria is surrounded by a large garden with an ironed and wooded green-house inside.

Villa Maria, Griante

La villa è stata realizzata alla fine dell'Ottocento da Giacomo Mantegazza,

Villa Maresi, Griante

La villa fu edificata in forma di castello su progetto di Giacomo Mantegazza e commissione dell'industriale Pompeo Maresi.

The Villa was built to resemble a castle, implementing the project commissioned from Giacomo Mantegazza by the industrialist Pompeo Maresi.

Villa Mylius Vigoni, Menaggio

L'edificio, costruito nella prima metà del XVIII secolo, di proprietà della famiglia Carabelli, venne acquistato nel 1829 da Enrico Mylius, uomo d'affari originario di

Francoforte, che lo ampliò e rinnovò in veste neoclassica sotto la guida dell'architetto Gaetano Besia. Ignazio Vigoni, la cui famiglia era succeduta ai Mylius, alla sua morte, nel 1983, ha lasciato la villa alla Repubblica Federale Tedesca che vi ha istituito un centro di incontro italo-tedesco.

Built during the first half of the eighteenth century as property of the family Carabelli, in 1829 it was purchased by Enrico Mylius, a businessman native of Frankfurt who enlarged and restored it in neo-classic style with the help of architect Gaetano Besia. In 1983, when he died, Ignazio Vigoni, whose family had taken the place of the Myliuses, left the villa to the German Federal Republic. Today it is an italian and german meeting-point.

Villa Calabi, Menaggio

Ubicata in frazione Loveno, una delle più incantevoli località del lago di Como. Appartenne a Massimo d'Azeglio, scrittore e politico dell'800 che pare abbia personalmente affrescato alcune delle pareti interne.

Located in Loveno, one of the most enchanting spots in the Lake Como area, this villa belonged to the 19th century writer and politician Massimo d'Azeglio. It is said that he personally painted some of the frescoes inside.

Villa La Gaeta, Acquaseria

Sulla punta La Gaeta risalta la torre a picco sul lago della villa omonima, ideata negli anni Venti dallo studio di Gino e Adolfo Coppedè per gli industriali Ambrosoli. Realizzata sul luogo di un precedente edificio, la villa-castello è in s   ettico con motivi medioevali e liberty. Oggi è divisa in appartamenti.

It was designed, in the twenties, by Gino and Adolfo Coppede' for the family Ambrosoli, on cape La Gaeta. It took the place of another building; the villa-castle was built in an eclectic style. Today it is divided into flats.

Castello dei Della Torre, Santa Maria Rezzonico

Edificato nel XIV secolo dai conti Della Torre di Rezzonico e restaurato nell'Ottocento, il castello conserva l'alta torre medioevale merlata con finestre ad arco acuto ed è ora proprietà privata.

The castle, built in the fourteenth century by the counts Della Torre of Rezzonico, was restored in the Ottocento but it still keeps the high embattled medieval tower with lancet arched windows. Today the castle is a private residence.

Palazzo Manzi, Dongo

Terminato nel 1824 da Pietro Gilardoni, il neoclassico palazzo Manzi fu donato nel 1937 da Giuseppina Manzi al Comune di Dongo, di cui è oggi sede. Tra i preziosi interni, il grande salone, chiamato Sala d'Oro, reca nella volta un affresco della scuola dell'Appiani, il Parnaso. Accanto si trovano la ricca biblioteca e la cappella ovale.

It was ended in 1824 by Pietro Gilardoni and in 1937 Giuseppina Manzi gave it to the city of Dongo. Today it is the seat of the town hall. On the vault in the salon, called golden hall, there is the Parnaso, a fresco of the Appiani school. Close to it there is the rich library and the oval chapel.

Palazzo Gallio, Gravedona

L'imponente palazzo fu voluto nel 1586 dal cardinale Tolomeo Gallio, investito da pochi anni della contea delle Tre Pievi di Gravedona, Sorico e Dongo, ma venne completato dopo la sua morte. Ha pianta quadrata con quattro torri angolari con belvederi a logge; logge sovrapposte si aprono anche sulla facciata verso il lago e su quella a monte. Oggi il palazzo appartiene alla Comunità Montana Alto Lario Occidentale.

This impressive building was wanted by cardinal Tolomeo Gallio, just appointed in the three Pievi: Gravedona, Sorico and Dongo, in 1586, but terminated after his death.. A square plan with four angular towers with belvederes and loggias placed one on top of the other. Today Palazzo Gallio belongs to the Mountain Community Alto Lario.

Villa Camilla, Domaso

La settecentesca villa è oggi sede del Municipio. La impreziosiscono all'esterno un parco ricco di piante di camelie, all'interno sale decorate da affreschi.

This eighteenth century villa is today the seat of the town hall. All around there is a park rich of camelia plants. Inside several frescoed rooms.

Villa La Malpensata, Colico

Costruita nell'Ottocento, la villa, con ampio loggiato e parco, sorge sulla penisola di Piona e in parte comprende un edificio cinquecentesco già proprietà dell'abbazia.

Villa La Malpensata, with its large open-gallery and its park, stands on the peninsula of Piona. A sixteenth century edifice, already the property of the abbey, is part of the villa.

Villa Cipressi Isimbardi, Varenna

La villa è di origine antiche; possesso dei Serponti e nel XIX secolo degli Isimbardi, è stata nel tempo rimaneggiata. Le attuali forme neoclassiche si devono alla ricostruzione attuata nella seconda metà dell'Ottocento da Enrico Andreossi, successivo proprietario. Il nome con cui è comunemente conosciuta deriva dai secolari cipressi che caratterizzano il giardino a terrazze digradanti verso il lago.

The old building, property of the Serpontis and of the Isimbardis has been modified during the times. The present neo-classic appearance is due to Enrico Andreossi. Its name comes from the centuries-old cypresses which are the characteristic of the garden.

Villa Monastero, Varenna

Il nome ricorda l'origine della villa: un antico monastero di suore cistercensi soppresso nel 1567 e acquistato due anni dopo da Paolo Mornico di Cortenova in Valsassina. Fu Lelio, figlio dell'acquirente, a trasformare agli inizi del Seicento il convento in una signorile residenza, che rimase proprietà della famiglia Mornico fino a metà dell'Ottocento. Ampie trasformazioni dell'architettura e del parco furono apportate dai successivi proprietari. Oggi è proprietà del Consiglio Nazionale delle Ricerche. Il rinomato giardino ospita piante rare ed è decorato da statue e sculture.

The name of the villa reminds its origins: an old convent belonging to Cistercian nuns closed in 1567 and purchased two years later by Paolo Mornico of Cortenova in Valsassina. It was Lello Mornico, Paolo's son, who turned the convent into an elegant residence. The following owners brought several changes. Today it belongs to the National Council for Scientific Research. In the well-known garden there are uncommon plants, statues and sculptures.

Villa Capoana, Varenna

Risalente al Cinquecento, la villa fu rimaneggiata all'inizio del Seicento da Ercole Sfondrati.

It goes back to the sixteenth century but it was modified in the seventeenth century by Ercole Sfondrati

Villa Manzoni Al Caleotto, Lecco

La villa risale al XVII secolo, ma la famiglia Manzoni la fece ristrutturare alla fine del Settecento. L'edificio ha un grande cortile porticato e comprende case rustiche con le sale delle scuderie utilizzate per esposizioni.

This villa goes back to the seventeenth century, but it was restored at the end of the eighteenth century by the family Manzoni.

Villa Serbelloni Rockefeller, Bellagio

Si staglia sul promontorio di Bellagio, sulla sommità del quale, secondo la tradizione, Plinio il Giovane possedeva la villa chiamata "Tragedia". Fu ereditata da Alessandro Serbelloni che arricchì l'interno di decorazioni, arredi e opere d'arte e si dedicò anche alla sistemazione del vastissimo parco che si estende su gran parte del promontorio. Oggi la villa appartiene alla Fondazione Rockefeller che vi realizza convegni e incontri di studio.

It stands on the promontory of Bellagio on top of which, by tradition, Pliny the Younger owned the villa called "Tragedy". At the end of the Settecento it passed into the hands of Alessandro Serbelloni who embellished it with ornaments and works of art. Today it belongs to the Rockefeller Foundation which organizes there meetings and conferences.

Villa Frizzoni, Grand Hotel
Villa Serbelloni, Bellagio

L'attuale struttura alberghiera fu realizzata nella seconda metà dell'800 con l'ampliamento di villa Frizzoni, progettata dall'architetto Rodolfo Vantini.

The present hotel complex was created in the latter half of the 1800s through extension of Villa Frizzoni, designed by the architect Rodolfo Vantini.

135

Villa Melzi, Bellagio

La villa di severe linee neoclassiche venne costruita tra il 1808 e il 1810 da Giocondo Albertolli su incarico di Francesco Melzi d'Eril. Gli interni conservano pregevoli opere d'arte; l'ampio e articolato parco, celebre vanto dell'edificio, accoglie pregiate piante ed è arricchito da diversi gruppi scultorei, fra cui Dante e Beatrice di Gian Battista Comolli (XIX sec.). La villa dai Melzi è passata per via ereditaria ai Gallarati Scotti, attuali proprietari.

It was designed in neo-classic style by Giocondo Albertolli and built between 1808 and 1810 for Francesco Melzi d'Eril. Inside there are valuable works of art; in the vast and beautiful park there are valuable plants and sculptures, such as Dante e Beatrice by Gian Battista Comolli (XIX century). The villa is now the property of the Gallarati-Scotti family, collateral descendants of Melzi.

Villa Trivulzio, Bellagio

Costruita a metà del Settecento da Paolo
Taverna, la villa fu ceduta ai Poldi Pezzoli
che, nei primi decenni dell'Ottocento,
realizzarono i due corpi laterali, a cura di
Giacomo Balzaretto, uniti alla preesistente
parte centrale da due ali più basse
coronate da balaustra. In seguito la
residenza passò ai Trivulzio e nel 1941 ai
Gerli, ai quali si deve il restauro della
chiesetta romanica di Santa Maria Loppia
inserita nel parco.

It was built in mid-Settecento by Paolo
Taverna and then handed over to Poldi
Pezzoli. During the first half of the
Ottocento they added two lateral bodies
joined to the central one by two lower
wings. Afterwards the building passed to
the Trivulzio and in 1941 to the Gerlis who
restored Santa Maria Loppia, a
romanesque church situated in the park.

Villa Trotti, Bellagio

Antica proprietà della famiglia Loppio, fu ampliata nel Settecento dai Bonanomi e dal marchese Lodovico Trotti. Il pronipote di quest'ultimo, anch'egli Lodovico, a metà Ottocento rifece la villa dandogli l'attuale aspetto con decorazioni "moresche". Successivi proprietari furono la famiglia Crivelli Serbelloni, i marchesi Malvezzi e nel 1941 il conte Gerli.

In ancient times it belonged to the family Loppio. In the eighteenth century it was enlarged by the Bonanomis and marchese Lodovico Trotti. In mid-Ottocento another Trotti, one of Lodovico's descendants gave to the villa the present facade with moresque ornaments. Afterwards it became the property of the family Crivelli Serbelloni, of marchese Malvezzi and of count Gerli in 1941.

Villa Giulia, Bellagio

La villa neoclassica venne costruita
alla fine del XVIII secolo, dal conte
Pietro Venini che la dedicò alla moglie
Giulia. Dalla villa si gode la vista dei
due rami
del lago.

It was designed in neo-classic style at
the end of the XVIII century by count
Pietro Venini to honour his wife Giulia.

Villa Besana, Bellagio

Costruita nel 1891 su progetto
dell'architetto Antonio Citterio per
Eugenio Besana, conserva l'antica
darsena di un fabbricato preesistente.

Built in 1891 for Eugenio Besana
following architect Antonio Citterio's
project, it has conserved the old quay of
the previous construction on the site.

Villa Plinianina, Torno

Esempio di architettura eclettica di metà Ottocento sul Lario, in stile Neo-gotico veneziano, caratterizzata dal bel colore terracotta degli ornati e della balaustrata in arenaria e dalla fasciatura bicroma delle facciate. Fu costruita e ultimata nel 1855 dal milanese Canzi.

An example of eclectic architecture from the mid 1800s in the Lake Como area: Venetian Neo-Gothic featuring an attractive terracotta tone in the sandstone decoration and balustrades, along with the two-tone banding on the elevations. It was built and completed in 1855 by the Milanese railway engineer Canzi.

Villa Pliniana, Torno

La villa sorge in un'insenatura solitaria immersa nel verde. L'edificio risale alla seconda metà del Cinquecento, quando venne eretto da Giovanni Anguissola, governatore di Como. Incerto è il nome del costruttore; fra i nomi proposti, l'Alessi e il Pellegrini. Recente è l'attribuzione a Giovanni Antonio Piotti da Vacallo. L'edificio presenta un'imponente facciata con quattro ordini di finestre, interrotta al centro da una loggia a tre arcate rette da colonne binate; nell'interno si susseguono sale riccamente decorate.

It stands on a deserted creek. The edifice dates back to the second half of the sixteenth century when it was built by Giovanni Anguissola, governor of Como. We do not know the name of the architect: maybe Alessi or Pellegrini. The building has got an impressive facade with four orders of windows with three arcade loggia, supported by paired columns. Inside many rooms, lavishly decorated.

Villa Taverna, Torno

La villa presenta una planimetria del tutto originale sul Lario, con due corpi simmetrici uniti da un corpo centrale rientrante. Le due ali dell'edificio vennero costruite alla fine del Settecento da Antonio Tanzi, mentre il corpo centrale venne aggiunto dai successivi proprietari, i conti Taverna.

The villa shows an original planimetry with two simmetric bodies joined by a receding central body. The two wings were built at the end of the Settecento by Antonio Tanzi, while the central body was added later by the new owners, the counts Taverna.

Villa Roccabruna, Blevio

La villa venne costruita nei primi anni del Novecento per l'industriale torinese Emilio Wild, al posto di una proprietà della famosa cantante Giuditta Pasta, la Roda, demolita nel 1904. L'edificio, di stile neorinascimentale, presenta grande cura nella scelta dei materiali ed è ricco di marmi e statue.

It was built in the first years of the Novecento for Emilio Wild, a turinese businessman, in place of another property, demolished in 1904, The Roda, which belonged to Giuditta Pasta, a famous singer. In the neo-Renaissance building there are a lot of marbles and statues.

Villa Belvedere, Blevio

Detta un tempo Malpensata, la villa e il suo parco appartennero tra gli altri a Maddalena Imbonati, vedova del conte Sannazzaro e sorella di Carlo Imbonati, che vi ospitò Alessandro Manzoni e il Porta.

Once called Malpensata, both the villa and its park belonged to Maddalena Imbonati, count Sannazzaro's widow and Carlo Imbonati's sister. She gave hospitality to Alessandro Manzoni and to Carlo Porta.

Villa Ricordi Da Riva, Blevio

L'edificio sembra sia sorto sul terreno in cui anticamente si trovava la villa fatta costruire nel 1617 da Pantero Pantera, capitano della flotta pontificia, e di cui oggi non rimane traccia. L'attuale villa appartenne fra gli altri ai Ricordi, famosi editori musicali, e alla famiglia Da Riva.

It seems that the edifice stands in place of the villa built in 1617 by Pantero Pantera, captain of Clement VIII's pope galleys. It belonged to the Ricordis, well-known musical publishers, and to the family Da Riva.

Villa Belgioioso Borletti, Blevio

È una costruzione in stile nordico, eretta nei primi decenni dell'Ottocento da un conte russo. Quest'ultimo, in seguito alla morte della moglie, entrò nell'ordine dei Barnabiti a cui lasciò la villa che venne venduta a Cristina Belgioioso Trivulzio.

It was built in nordic style during the first years of the Ottocento by a russian count. After his wife's death he entered the Barnabiti Order to which he bequeathed the villa. Later on it was purchased by Cristina Belgioioso Trivulzio.

Villa Mylius Cademartori, Blevio

Un ampio parco recinge la villa, già proprietà degli editori Artaria, poi dei Rezzonico, Mylius, Cramer Pourtales, Cademartori; oggi è divisa in appartamenti.

The villa is surrounded by a large park. It was the property of the Artarias, of the Rezzonicos, of the Mylius, Cramer Pourtales, of the Cademartoris. Nowadays it is divided into flats.

Villa Troubetzkoy, Blevio

La villa-chalet venne fatta costruire intorno al 1850 dal principe russo Troubetzkoy, che aveva scelto Blevio dopo una condanna a sei anni ai lavori forzati per tentata insurrezione contro lo zar Nicola I.

Built around 1850, on behalf of the russian prince Troubetzkoy who chose to live in Blevio when he was sentenced to six years of hard labour for attempted rising against tzar Nicholas I.

Villa Maria Taglioni, Blevio

I primi cenni risalgono al 1769, quando Giuseppe II Imperatore d'Austria viene salvato da una tempesta sul lago e per riconoscenza dà alla proprietà il nome di "Cà dell'Imperatore". Nella seconda metà dell'800 la villa viene acquistata dalla cantante lirica Maria Taglioni.

Its first records date back to 1769 when Joseph II, Emperor of Austria, was saved from a storm on the lake. He named the property *Cà dell'Imperatore* ('the

Emperor's house') to mark his gratitude. The singer Maria Taglioni bought the villa in the latter half of the 19th century.

Villa Cornaggia, Blevio

La villa è conosciuta dai comaschi anche
con il nome "ca' di mort" per un piccolo
ossario inserito nel muraglione a lago
al tempo della peste. La costruzione,
a picco sul lago, risale agli ultimi anni
dell'Ottocento per opera dei Cornaggia-
Medici.

This villa is also known in Como with
the name of "Ca' de Mort" (house of the
deads), because of a small ossuary placed
in the wall facing the lake, during the
pestilence. The building, steeply above
the lake, dates back to the end of the
ninenteenth century, and it was built
on behalf of the Cornaggia-Medicis.

Testi: Donata Vittani
Progetto grafico: Break Point
*Traduzione del testo
introduttivo*: Helen Doyle
*Ricerca storica e iconografica
della villa Plinianina*:
Paride Zappavigna

© copyright 2007
Enzo Pifferi Editore
Via Diaz 58, 22100 Como
Tel. 031273594
Fax 031243721
www.enzopifferieditore.com

Fotolito: Litofilms Italia
Finito di stampare nel mese di Maggio 2007
presso Tipografia Camuna, Brescia